Blaidd yn Mynd i'r Môr

I

Karen a Denis
yn siop lyfrau Wellwisher, Devizes

Cyhoeddwyd yng Nghymru yn 2008 gan
Wasg Gomer, Llandysul, Ceredigion SA44 4JL

ISBN 978 1 84323 905 5

Dymuna'r cyhoeddwyr gydnabod cymorth
adrannau Cyngor Llyfrau Cymru.

Argraffwyd a rhwymwyd yng Nghymru gan
Wasg Gomer, Llandysul, Ceredigion SA44 4JL
www.gomer.co.uk

Rob Lewis

Gomer

Roedd blaidd olaf Cymru yn byw yn reit hapus
mewn tref harbwr fechan, mewn bwthyn cysurus.
Roedd Nain reit drws nesaf a'i chaffi, wrth gwrs,
a'r ddau yn mwynhau yfed te a chael sgwrs.

Ond weithiau, byddai'r blaidd yn eistedd yn unig
ar hen wal yr harbwr, yn ddiflas drybeilig.
'Beth sy'n bod arnat ti?' holodd Nain un noson,
Rwyt ti'n hynod benisel, a llonydd dy gynffon.'
'Wel, Nain, er dy fod ti'n ffrind annwyl i mi,
does gen i ddim ffrindiau sy'n fleiddiaid, wel' di,'
meddai'r blaidd, wrth i'w lygaid trist suddo i'r tonnau.
'Rhaid fod bleiddiaid draw 'mhell fyddai'n gwmni i minnau.'

Meddai Nain, 'Does dim arian gen i i dy helpu.
Ble mae bleiddiaid yn byw, ydy'r haul yno'n gwenu?'
'Mhell bell yn y gogledd lle mae'r haul yn wanllyd,
y goedwig yn dywyll a'r tywydd yn rhewllyd.
Ond sut af i yno heb arian, dim syniad.
Serch hynny, cael mynd yr holl ffordd yw fy mwriad.'
'Wel, reit,' meddai Nain, 'os wyt ti eisiau mentro,
beth am guddio ar long cyn iddi hi hwylio?'

Ac wrth i'r ddau edrych yn dawel i'r môr,
fe welson nhw long oedd ar fin bwrw angor.

Liw nos, rhwyfodd Nain draw i'r llong uchel, fawr,
a'r blaidd sleifiodd arni cyn toriad y wawr.

Daeth o hyd i guddfan, ac heb wneud fawr ddim sŵn,
dringodd i gist llawn ffrwythau a thuniau bwyd cŵn.

Mae digon o le, ac mae digon i'w fwyta,
meddyliodd y blaidd, fe gaf gysgu a gwledda!
Daeth o hyd i hen sachau a gwnaeth le i gysgu,
a chaeodd y clawr er mwyn cael cynhesu.
Gyda'i dortsh yn rhoi golau, roedd y blaidd yn reit glyd,
heb ond corryn i'w boeni, roedd yn fodlon ei fyd.

Fe gysgodd yn dawel i rwnan yr injan,
nes deffro i weld yr holl duniau yn hedfan.
Agorodd y clawr – roedd y môr yn dymhestlog,
a theimlodd y blaidd yn reit simsan ei stumog.

Rhag gwlychu, aeth
ati i gau'r clawr yn
sydyn, cyn suddo i'r
gornel, mewn ofn ac
mewn dychryn!

Er y cynnwrf, fe gysgodd
y blaidd gyda hyn.

A phan ddeffrodd eilwaith, roedd y môr nawr fel llyn.
Agorodd y gist, a oedd yn tawel arnofio.
Ond ble'r oedd y llong? Roedd e'n methu â choelio!

Y gist ddrifftiodd draw tua'r gogledd yn smala,
drwy'r tywydd dychrynllyd – stormydd cesair ac eira.
A'r blaidd oedd yn dioddef er bod ganddo flew,
ond roedd gwaeth i ddod, wrth i'r gist daro rhew!

Ar fynydd iâ unig roedd y blaidd yn hiraethu,
ond doedd dim byd i'w wneud ond gobeithio a chrynu.
Ar sbec, fe ddaeth gwylan, heb obaith am sgwrs
gan mai siarad 'gwylaneg' a wnâi hi, wrth gwrs.

Yna, un diwrnod, dyma'r iâ'n dechrau chwyrnu
Gan ysgwyd dan ei draed cyn cracio a chwalu.
Erbyn hyn, roedd y blaidd mewn rhyw fae creigiog bach.
Ond ble yn y byd? Roedd mewn tipyn o strach!

Y blaidd aeth i'r lan gan gamu'n ofalus.
Pa beryg oedd yno? meddyliodd yn ofnus.

Roedd storm eira'n chwythu, ac yntau bron rhewi,
felly aeth tua'r goedwig i geisio llochesu.
Yn nyfnder y goedwig, fe neidiodd mewn dychryn
o weld pedwar pâr disglair o lygaid mawr, melyn.

Beth oedd yno ond bleiddiaid! Wel, dyna ryfeddod!
Ac anghofiodd ar unwaith am bob hen ddiflastod.
'Croeso i'r Ffindir,' meddai'r pedwar dan chwerthin.
'Mae gweld blaidd o bell yn beth prin anghyffredin.'
Ac ar ras aeth y pump i ganol y goedwig
i'w ffau gyfrinachol mewn man bach cuddiedig.
Gofynnon nhw iddo sôn am bopeth a welodd
wrth deithio mor bell, ac am bethau a'i synnodd.

Roedd ateb y blaidd yn ddiflas ond siŵr,
'Ni welais fawr ddim, heblaw eira a dŵr.
Fe ddes dros y môr, ac nid dros y tir,
ac roedd hi'n daith anodd, os dweda i'r gwir.'
Ac yna eisteddodd wrth danllwyth o dân,
ac adrodd ei stori tan yr oriau mân.
'Ro't ti'n edrych yn welw, a phawb wedi synnu.
Ond nawr,' meddai'r bleiddiaid, 'mae'n bryd i ni ddathlu!'

Dyna barti a gawsant! Un hynod o hir,
ac anghofiodd y blaidd am ei gartref, mae'n wir.
Ond toc, cododd hiraeth am Nain 'nôl yng Nghymru,
a meddyliodd y dylai fod gyda hi'n gwmni.
Roedd y bleiddiaid yn hwyl, ond roedd rhaid ymadel –
roedd e wir yn casáu'r holl dywyllwch a'r oerfel.

Meddai'r blaidd, 'Rhaid mynd adre i Gymru cyn hir.
Rwy'n gweld eisiau fy ffrindiau, a dwedyd y gwir.'
'Dros fôr,' meddai'r bleiddiaid, 'y daith oedd yn hunllef.
Byddai'n well i ti fynd ar y trên tuag adref.'

Wedi cael hyd i drên, dyma'r blaidd yn ffarwelio
â'r bleiddiaid caredig a'u cwmni a'u croeso.
'Pob lwc,' medden nhw, wrth ei roi ar y trên.
Eisteddodd y blaidd, codi llaw, a rhoi gwên.

Fe deithiodd drwy Rwsia, y Sgwâr Coch a Gwlad Pwyl,
Ond yna, daeth blinder i darfu ar ei hwyl.

Yn yr Almaen roedd cestyll mawr gwyn mewn coedwigoedd, a'u tyrau a'u waliau'n ymestyn i'r nefoedd.

Gwelodd feicwyr di-ri yn yr Iseldiroedd,
Camlesi, melinau a thiwlipau'n eu miloedd.

Cafodd egwyl ym Mharis, a gweld yn y pellter
yr enwog Dŵr Eiffel, neu o leiaf ei hanner.

Ymlaen â'r blaidd wedyn, drwy dwnnel y sianel
i Gymru, ei gartref, draw 'mhell ar y gorwel.

Roedd Nain yn ei ddisgwyl a chafodd gwtsh fawr.
'Flaidd bach,' meddai hi, 'rwyt ti gartref yn awr.
Bydd hi'n anodd i ti heb fleiddiaid yn gwmni,
ond cei anfon gair atynt – os wyt ti'n mynnu.'
Roedd y blaidd wedi gweld eisiau Nain, ei ffrind gorau.
Roedd ffrindiau fel hi'n werth llond lle o drysorau.

Meddai'r blaidd, 'Ysgrifenna' i nodyn cyn clwydo,
A falle, ryw ddydd, dôn nhw i'n gweld ni, gobeithio.'

Y Bleiddiaid
Y Ffau Gyfrinachol
Gogledd y Ffindir
EWROP

Beth am ysgrifennu llythyr at y bleiddiaid yn y gogledd? Dwed wrthyn nhw am y man lle rwyt ti'n byw neu am rywle buest ti ar dy wyliau.